鋼の錬金術師

FULLMETAL ALCHEMIST

荒川弘

2

■ アルフォンス・エルリック
Alphonse Elric

■ エドワード・エルリック
Edward Elric

■ アレックス・ルイ・アームストロング
Alex Louis Armstrong

■ ロイ・マスタング
Roy Mustang

エドワードとアルフォンスの兄弟は、
幼き日に喪った母を錬金術により蘇らせようと試みる。
しかし、錬成は失敗しエドワードは
左足と弟のアルフォンスを失ってしまう。
なんとか自分の右腕を代償にアルフォンスの魂を錬成し
鎧に定着させる事に成功するが
その代償はあまりにも高すぎた。
そして兄弟はすべてを取り戻す事を誓うのだった…。

鋼の錬金術師
FULLMETAL ALCHEMIST

CHARACTER
FULLMETAL ALCHEMIST

□ ショウ・タッカー

Shou Tucker

□ 傷の男(スカー)

Scar

□ グラトニー

Gluttony

□ ラスト

Lust

OUTLINE
FULLMETAL ALCHEMIST

CONTENTS

今回の件でひとつ
貸しができたね
大佐

にやり———☆

……君に
借りを
つくるのは
気色が悪い

いいだろう
何が望みだね

さっすが♪
話が早いね

この近辺で
生体錬成に詳しい
図書館か
錬金術師を
紹介して
くれないかな

今すぐかい？
せっかちだな
まったく

オレたちは一日も早く元に戻りたいの！

久しぶりに会ったんだからお茶の一杯くらいゆっくり付き合いたまえよ

…野郎と茶ぁ飲んで何が楽しいんだよ…

えぇとたしか…

ああこれだ

「遺伝的に異なる二種以上の生物を代価とする人為的合成」――

つまり合成獣錬成の研究者が市内に住んでいる

「綴命の錬金術師」ショウ・タッカー

2年前人語を使う合成獣の錬成に成功して国家錬金術師の資格をとった人物だ

人語を使うって
……

人の言葉を喋るの？
合成獣が？

そのようだね
私は当時の担当じゃないから
実物を見てはいないのだが

人の言う事を理解しそして喋ったそうだよ

ただ一言

「死にたい」と

その後
エサも食べずに死んだそうだ

でもね人の手の内を見たいと言うなら君の手の内も明かしてもらわないとね

それが錬金術師というものだろう

大佐

いや彼は…

あ

なぜ生体の錬成に興味を?

タッカーさんの言う事ももっともだ

それで「鋼の錬金術師」と—

‥‥‥‥‥‥

なんと‥‥‥

14

そうか
母親を…

辛かったね

彼のこの身体は
東部のあの内乱で
失ったと
上には言ってあるので
人体錬成の事については
他言無用で
お願いしたい

ああ
いいですよ
軍としても
これほどの逸材を
手放すのは得では
ないでしょうから

では…

役に立てるか
どうかは
わかりませんが
私の研究室を
見てもらいましょう

いや
おはずかしい

巷では
合成獣の権威なんて
言われてるけど
実際のところ
そんなに上手くは
いってないんだ

うわぁ…

お
ー
!!

ギィィ

イィィ

こっちが
資料室

すげ〜〜

自由に見ていい
私は研究室の方に
いるから

よーし
オレはこっちの
棚から

じゃあ
ボクは
あっちから

私は仕事に
もどる

君達には夕方
迎えの者を
よこそう

はい

すごい
集中力ですね
あの子
もう周りの声が
聞こえてない

ああ…
あの歳で
国家錬金術師に
なる位ですからね
ハンパ者じゃ
ないですよ

天才って
やつは

いるんですよね

「あ兄さん」じゃねーよ!!

資料も探さねーで何やってんだ!!

アレキサンダーもお兄ちゃんと遊んでほしいって

いやぁニーナ遊んでほしそうだったから

なごむなヨ

獅子はウサギを狩るのも全力を尽くすと言う……

ふっこの俺に遊んでほしいとはいい度胸だ……

このエドワード・エルリックが全身全霊で相手してくれるわ犬畜生めッ!!!

どりゃあああ

あはははははは

子供だ…

うわぅあぅ

よお大将
迎えに来たぞ

……何
やってんだ？

あぁああぁぅ……

いやこれは
資料検索の
合間の息抜き
と言うか
なんと言うか！

でいい資料は
みつかったかい？

がばっ

……
また明日
来るといいよ

……

20

へー
お母さんが
2年前に…

うん
「実家に帰っちゃった」って
お父さんが言ってた

そっか
こんな広い家に
お父さんと二人じゃ
さみしいね

うん
平気!

お父さん
やさしいし
アレキサンダーも
いるし!

お父さん 最近
研究室に
とじこもってばかりで
ちょっとさみしいな

でも…

……あ――

ゴキ

ゴキ

毎日本読んでばっかで肩こったな

肩こりの解消には適度な運動が効果的だよ兄さん

そーだなー庭で運動してくっか

オラ犬!! 運動がてら遊んでやる!

びし!

さ ニーナも

24

ゴロロロロ゛…

こんにちはー

タッカーさん
今日もよろしく
おねがいします

今日は
降るかな
こりゃ

カラン
カラン

ゴロロロ…

あれ？

ヒ゛…ン

タッカーさん？

誰も
いないのかな

ニーナ?

タッカーさーん

ああ
君たちか

なんだ
いるじゃないか

と.

見てくれ
完成品だ

27

人語を理解する合成獣だよ

えど
わーど？

いいかい？
この人は
エドワード

見て
ごらん

兄さん!!

ああ そういう事だ!!

この野郎…やりやがったな この野郎!!

ぎ ぎ ぎ

2年前はてめえの妻を!!

そして今度は娘と犬を使って合成獣を錬成しやがった!!

・・・・・・・・・・・・

！！

そうだよな
動物実験にも
限界があるからな

は…

何を
怒る事が
ある？

人間を使えば
楽だよなあ

ああ!?

医学に代表
されるように
人類の進歩は
無数の人体実験の
たまものだろう？

君も
科学者なら…

ふざけんな!!

こんな事が許されると
思ってるのか!?
こんな…人の命を
もてあそぶような事が!!

それ以上
喋ったら
今度はボクが
ブチ切れる

タッカーさん

ごめんね

ボクたちの
今の技術では
君を元に戻して
あげられない

ニーナ

37

人の命をどうこうするという点では、タッカー氏の行為も我々の立場もたいした差は無いという事だ

それは大人の理屈です
大人ぶってはいてもあの子はまだ子供ですよ

だが彼の選んだ道の先にはおそらく今日以上の苦難と苦悩が待ちかまえているだろう

そうだろう
鋼の

むりやり納得してでも進むしかないのさ

ヵ川

人間なんだよ

たった一人の
女の子さえ
助けてやれない

ちっぽけな
人間だ
……………‼

帰って
休みなさい

カゼをひく

41

む…
タッカー氏に
用事か？

ザァァァ

バシャ

一般人は
立ち入り禁止に
なっている

用件が
あれば…

ギグッ

ゴギ

通る

え？

42

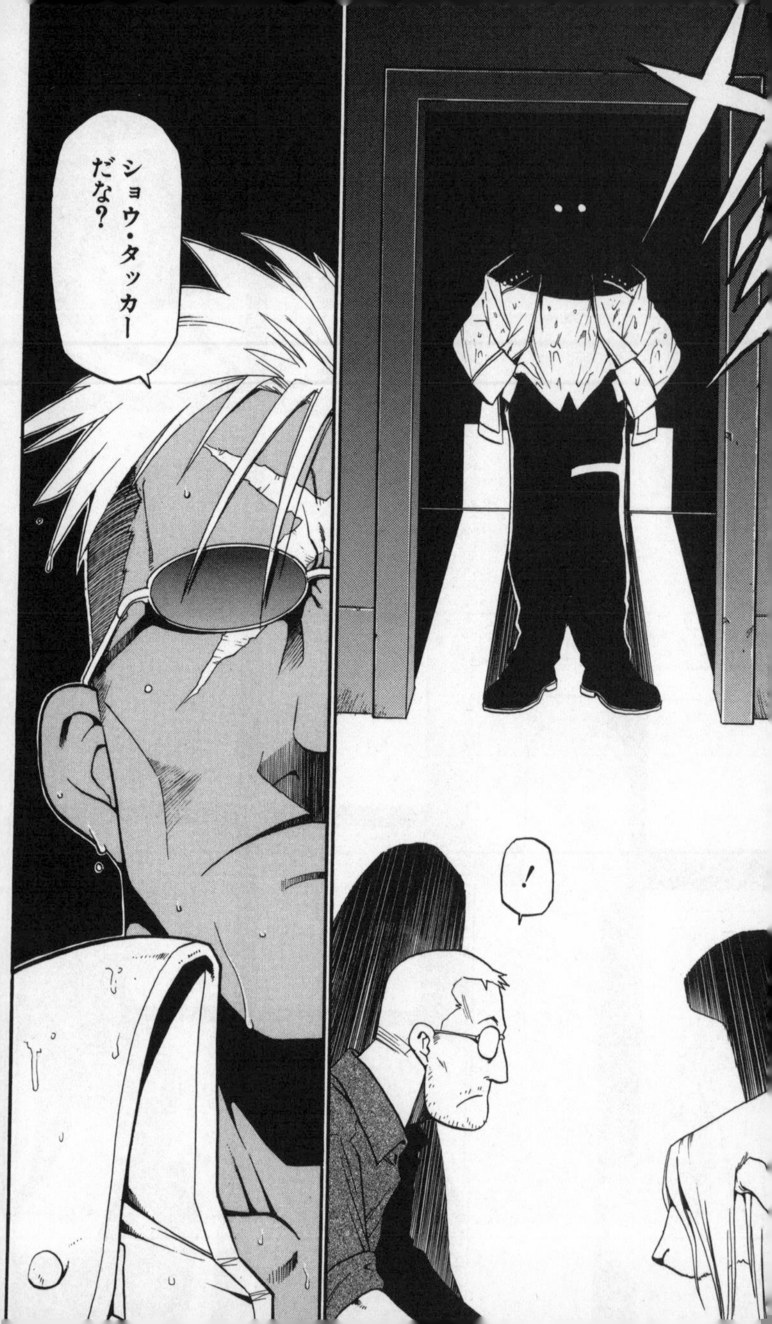
ショウ・タッカーだな?
!

誰だ君は

私になんの用だ

ゴッ ゴッ コッ

軍の者…ではないな…

どうやって入ってきた！

表に憲兵がいたはずだ…

神の道に背きし錬金術師

滅ぶべし！！

ひた.

45

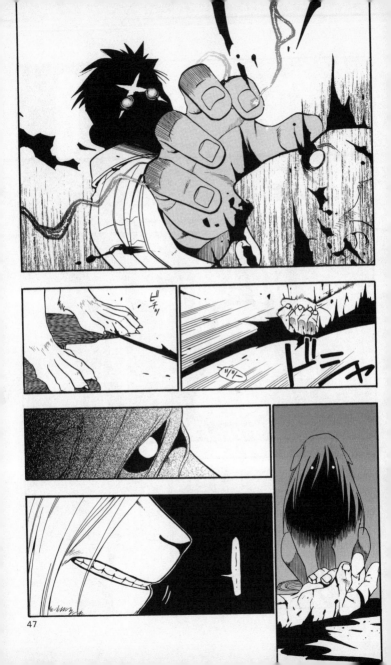

48

せめて安らかに逝くがよい

今ふたつの魂があなたの元へ帰りました

その広き懐に彼らをむかえ入れ哀れな魂に安息と救いを与えたまえ

神よ世の全てを創りたもうた偉大なる我らが神よ

FULLMETAL
ALCHEMIST

第6話
破壊の右手

プレゼント！

へ～～

あら 母さんに？

どうしたの これ

ボクが錬成したんだよ！

エドが？ さすが 父さんの子ね！

ミ

ありがとう 本当にエドは すごいわ

こんなに立派な物を作れるなんて…

でも

……………

くる

びくっ

エドワード君!

どうしたのこんな朝早くから

あ…あのさ

あ…ホークアイ中尉

タッカーと…ニーナはどうなるの?

死体連れて帰って裁判にかけろってのか?

たくよ——

俺たちゃ検死するためにわざわざ中央から出向いて来たんじゃねぇっつーの

こっちの落ち度はわかってるよヒューズ中佐

とにかく見てくれ

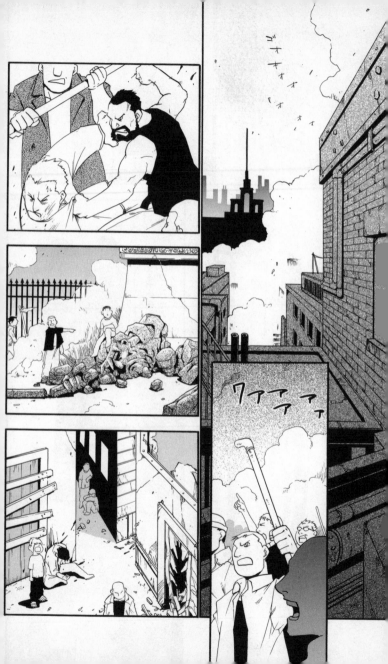

こうも
うまくいくと
その愚かさも
清々しくさえ
あるな

これは
これは
"教主様"

さま——

悪いわね
手を
わずらわせ
ちゃって

ああ
これが終わったら
さっさと
受け持ちの街に
帰らせて
もらうからな

本当に…
鋼の坊やに
ジャマされた時は
どうしようかと
思ったけど…

結果として
予定より早く
仕事が終わりそうで
助かっちゃったわ

ふふ…
それにしても

流血は流血を
憎悪は憎悪をよび

ふくれ上がった
強大なエネルギーは
この地に根を下ろし
血の紋を刻む…

あんたがちょっと
情報操作して
わしが教団の者どもを
煽ってやっただけで
この有り様だ

まったくもって
単純だよ
人間ってやつらは

何度くり返しても
学ぶ事を知らない
人間は愚かで
悲しい生き物だわ

だから
我々の思うツボ
なのだろ?

また
人が
いっぱい死ぬ?

そうね
死ぬわね

68

ケンカ売ってんのラストおばはん

中身は仲間内で一番えげつない性格だけどね

あはははははは

ばっ…化け物…!!

なんなんだお前達は!!

どういう事だ…

教主は…本物のコーネロ教主はどこへ行った!?

70

イーストシティって言ったら焔の大佐がいたかしら

そ

ついでに鋼のおチビさんも滞在中らしいよ

鋼の…

私達の仕事のジャマしてくれたのは腹が立つけど死なせる訳にはいかないわ

大事な人柱だし

ラスト〜〜〜ごちそうさまでした〜〜

ちゃんと口のまわりふきなさいグラトニー

どこの誰だか知らないけど予定外の事されちゃ困るのよね

ズルズル

わかったわこの街もあらかたケリがついたしそっちは私達が見ておきましょう

――でなんて言ったっけ例の"奴"

『傷の男』?

ああ
素性がわからんから
俺達はそう呼んでる

素性どころか
武器も目的も
不明にして
神出鬼没

ただ額に大きな
傷があるらしい
という事くらいしか
情報が無いのです

今年に入ってから
国家錬金術師ばかり
中央で5人
国内だと10人は
やられてるな

ああ
東部にも
そのうわさは
流れてきている

ここだけの話
つい5日前にも
グランのじじいも
やられてるんだ

『鉄血の錬金術師』
グラン准将がか!?
軍隊格闘の
達人だぞ!?

信じられんかもしれんが
それ位やばい奴がこの街を
うろついてるって事だ

悪い事は言わん
護衛を増やして
しばらく大人しく
してててくれ

これは
親友としての
頼みでもある

まずいな…

タッカーが
あんなになった以上
おまえさんが気を
つけてさえいれば…

まここらで有名どころと言ったら
タッカーとあとは
お前さんだけだろ？

大佐

エルリック兄弟が
まだ宿にいるか
確認しろ

至急だ！

おい！

？

私が司令部を
出る時に会いました

そのまま
大通りの方へ
歩いて行ったの
までは
見ています

こんな
時に…！！

車を出せ！

手のあいてる者は
全員大通り方面だ！！

74

兄さん

ん？
ああ…

なんだかもう
いっぱいいっぱいでさ
何から考えていいか
わかんねーや

……昨日の夜から
オレ達の信じる
錬金術って
なんだろう…って
ずっと考えてた

…『錬金術とは
物質の内に存在する
法則と流れを知り
分解し
再構築する事』

はぁ…

外に出れば雨と一緒に心の中のもやもやした物も少しは流れるかなと思ったけど

顔に当たる一粒すらも今はうっとうしいや

でも…

肉体が無いボクには雨が肌を打つ感覚も無い

それはやっぱりさびしいしつらい

たとえそれが世の流れに逆らうどうにもならない事だとしても

兄さんボクはやっぱり元の身体に…

人間に戻りたい

あ！
いたいた

エドワード
さん！

バシャ
バシャ

エドワード・
エルリックさん！！

……エルリック
……？

ああ
無事でよかった！
捜しましたよ！

……エドワード……
……エルリック…

何？
オレに用事？

至急
本部に
戻るように
との事です

82

あんた何者だ

なんでオレたちをねらう？

貴様ら「創る者」がいれば「壊す者」もいるという事だ

・・・・・・

む…？

90

機械鎧（オートメイル）…

は
は
は

…っくそ!!

なるほど
"人体破壊"では
壊せぬはずだ

あっちはあっちで
鎧をはがしてから
中身を破壊して
やろうと思ったが
肝心の中身が無い

変わった
奴らよ…

おかげで
余計な時間を
くってしまった
ではないか

てめえの予定に
つきあってやる程
お人好しじゃ
ないんだよ！

兄さん
ダメだ
逃げた方が…

馬鹿野郎！！
おまえ置いて
逃げられっか！！

ふむ…両の手を
合わせる事で
輪を作り
循環させた
力をもって
錬成する訳か

ならば

ゴキ

あああああ
ああらあ
ああ

94

FULLMETAL
ALCHEMIST

に……

第7話
雨の後

そこまでだ

この「豪腕の錬金術師」…

アレックス・ルイ・アームストロングをな!!

…今日はまったく次から次へと……

こちらから出向く手間が省けるというものだ

これも神の加護か!

112

この…

なぁに…

同じ錬金術師ならムチャとは思わんさ

なぜ脱ぐ

て言うかなんてムチャな錬金術……

そうだろう？傷の男よ

錬金術の錬成課程は大きく分けて「理解」「分解」「再構築」の三つ

錬金術…奴も錬金術師だと言うのか!?

やっぱりそうか

なるほど
つまり奴は
二番目の
「分解」の課程で
錬成を止めている
という事か

自分も
錬金術師って…
じゃあ奴の言う
神の道に
自ら背いてるじゃ
ないですか!

ああ…

しかも狙うのは
きまって
国家資格を
持つ者というのは
いったい…

常人ばなれの
破壊力

更に
錬金術との
コンビネーション

ふむ…

大柄な身体に
似合わぬ
軽いフットワーク
と……

たしかに
やっかいでは
あるが…

…やはりこの人数を相手では分が悪い

おっと！この包囲から逃れられると思っているのかね

ざっ

おまえなぁ
援護とかしろよ！

うるせぇ!!
俺みたいな一般人を
おまえら
デタラメ人間の
万国ビックリショーに
巻き込むんじゃねぇ!!

デタ…

オラ！
戦い終わったら
終わったで
やる事沢山
あるだろ！

市内緊急配備
人相書き回せよ！

アルフォンス!!

アル！
大丈夫か
おい!!

あの空の鎧が鋼の錬金術師の弟ですと？

魂の錬成など聞いた事がありませんぞ！

おそらく彼は命を捨てる覚悟で錬成に挑んだのだろうな

だからあの兄弟の絆は強い

…どうやら彼らの方は一段落といったところか

こっちはまだ一段落とはいかねぇだろ

…イシュヴァールの民か………

まだまだ荒れそうだ

やっかいな奴に狙われたもんだな

ザァァァァァ

イシュヴァールの民は
イシュヴァラを
絶対唯一の
創造神とする
東部の一部族だった

宗教的価値観の
違いから
国側とは
しばしば衝突を
くりかえしていたが

13年前
軍将校があやまって
イシュヴァールの子供を
射殺してしまった
事件を機に
大規模な内乱へと
爆発した

暴動は暴動をよび
いつしか内乱の火は
東部全域へと
広がった

7年にもおよぶ
攻防の末
軍上層部から
下された作戦は──

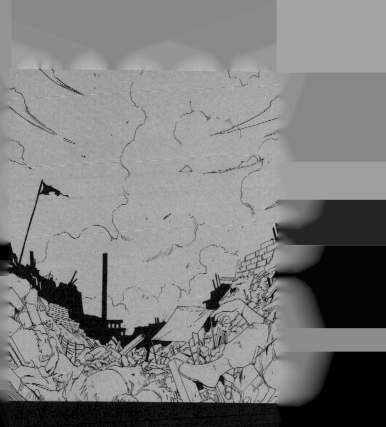

戦場での実用性を
ためす意味合いも
あったのだろう

多くの術師が
人間兵器として
駆り出されたよ

私も
その一人だ

だから
イシュヴァールの
生き残りである
あの男の
復讐には
正当性が
ある

くだらねえ

関係ない人間も
巻き込む復讐に
正当性もくそも
あるかよ

醜い復讐心を
「神の代行人」って
オブラートに包んで
崇高ぶってる
だけだ

エルリック兄弟は
これからどうする？

うん……
アルの鎧を直して
やりたいんだけど
オレこの腕じゃ術を
使えないしなぁ…

我輩が
直してやろうか？

盛っ

遠慮します

アルの鎧と魂の
定着方法を
知ってんのは
オレだけだから…

まずは
オレの腕を
元に戻さないと

だれ

そうよ
ねぇ…

錬金術の使えない
エドワード君なんて…

FULLMETAL
ALCHEMIST

第8話
希望の道

ぶ　わ

ガレー‼

聞いたぞ
エドワード・
エルリック‼

寄るな

我輩感動‼

さらに
己の命を
捨てる覚悟で
弟の魂を錬成した
すさまじき愛！

母親を
生き返らせ
ようとした
その無垢な愛！

142

144

兄さん!!

ボク　この鎧の身体になってから初めて子供扱いされたよ!!

わぁい!

だめ！にゃ～

まだ駄々をこねると言うのなら命令違反という事で軍法会議にかけるがどうかね？

ははは

うおお!! 汚え!!

うむ　そうと決まれば早速荷作りだ

荷物扱いの方が旅費より安いからな！

この身体になってから初めて荷物扱いされた…

ガーン　ガーン　ガン

ど

ん

じゃ
道中
気をつけてな

中央に
寄る事があったら
声かけろや

左手で
失礼

我輩は
機械鎧の整備師
とやらを見るのは
初めてでだ

正確には
外科医で
義肢装具師で
機械鎧調整師
かな

昔からのなじみで
安くしてくれるし
いい仕事するよ

ガリッ

その整備師のいる
リゼンブールとは
どんな所だ？

すっげー田舎
なんも無いよ

...耳が痛いな

そりゃいいもっと言ってやろうか

軍がもっとしっかりしてりゃにぎやかな町になってただろうなぁ

ガタン タタン ガタン

つーか東部の内乱のせいで何も無くなっちゃったんだけどね

...本当静かな所でさ

何も無いけど都会には無いものがいっぱいある

ダダン タタン ガタン タタン

それがオレ達兄弟の故郷リゼンブール

148

ところでアルはちゃんとこの汽車に乗せてくれたんだろうな

ふっふ——ぬかりは無いぞ

一人じゃさびしかろうと思ってな!

てめぇ オレの弟をなんだと思ってんだ!!

家畜車両

ガタン
ゴトン

ガタン
ゴトン

め——

めぇ

め——

．．．

め——

むぅッ 何が不満なのだ！
広くて安くてにぎやかで
いたりつくせり
ではないか！

ギャー
ギャー——!!!

ふざけんな——っ!!!

BRITISH NAVAL
COMMANDER MURDER

ドクター・マルコー

あのさっきここを通った……え……と……

ふぅん…

こういうご老人が通りませんでしたかな？

ぬ、

…少佐絵上手いね…

わがアームストロング家に代々伝わる似顔絵術である！

ああマウロ先生！

知ってる知ってる！

マウロ？

この町は見ての通りみんなビンボーでさ

医者にかかる金も無いけど先生はそれでもいいって言ってくれるんだ

絶対助からないと思った患者も見捨てないで看てくれるよな

いい人だよ！

ああ

がっはっは
おお
オレが耕運機に足を巻き込まれて死にそうになった時もきれいに治してくれたさぁ!!
治療中にこう…
ぱっと光ったかと思うともう治っちゃうのよ
光……
うむ
おそらく錬金術だ
そうか
偽名を使ってこんな田舎に隠れ住んでいたのか
でもなんで逃げたんだ?
ドクターが行方不明になった時に極秘重要資料も消えたそうだ
ドクターが持ち逃げしたともっぱらのうわさだった…
我々を機関の回し者と思ったのかもしれん

もう
あそこには
戻りたくない！

おねがいだ！
かんべんして
くれ……！

違います
話を聞いて
ください

じゃあ
口封じに
殺しに来たか！？

まずは
その銃を
おろし…

だまされんぞ！！

落ち着いて
ください
と
言って
おるのです

…………
私は
耐えられなかった

156

上からの命令とはいえあんな物の研究に手を染め…

そしてそれが東部内乱での大量殺戮の道具に使われたのだ…

本当にひどい戦いだった…無関係な人が死にすぎた…

私のした事はこの命をもってしてもつぐないきれるものではない

それでもできる限りの事を…ここで医者をしているのだ

いったい貴方は何を研究し何を盗み出して逃げたのですか

……え？

えぇ!!?

つ…

「石」って…
これ液体じゃ…

たぽん

「哲学者の石」
「天上の石」
「大エリクシル」
「赤きティンクトゥラ」
「第五実体」

賢者の石にいくつもの
呼び名があるように
その形状は
石であるとは
限らないようだ

だがこれはあくまで試験的に作られた物でな

いつ限界が来て使用不能になるかわからん不完全品だ

それでもあの内乱の時密かに使用され絶大な威力を発揮したよ

不完全…そうかあいつが持ってたのは…

不完全品とはいえ人の手で作り出せるって事はこの先の研究次第では完全品も夢じゃないって事だよな

マルコーさんその持ち出した資料を見せてくれないか!?

ええ!?

そんな物どうしようと言うのかねアームストロング少佐この子はいったい…

国家錬金術師ですよ

160

こんな子供まで…

潤沢な研究費をはじめとする数々の特権につられて資格を取ったのだろうがなんと愚かな!!

あの内乱の後人間兵器としての己の在り方に耐えられず資格を返上した術師が何人いたことか!!

それなのに君は……

バカなマネだというのはわかってる!

それでも!!

…それでも目的を果たすまでは針のムシロだろうが座り続けなきゃならないんだ…!!

そうか…
禁忌を
おかしたか…

おどろいたよ
特定人物の魂の
錬成を
なしとげるとは…

君なら
完全な賢者の石を
作り出す事が
できるかもしれん

じゃあ
……！

資料を
見せる事は
できん！

そんな…！！

話は終わりだ
帰ってくれ

元の身体に
戻るだなどと…
それしきの事のために
石を欲してはいかん

それしきの
事だと！？

ドクター
それでは
あんまりな！

あれは
見ない方が
いいのだ

あれは
悪魔の
研究だ

知れば地獄を見る事になる

地獄ならとうに見た！

だめだ

帰ってくれ

地獄なら
とうに見た！

本当にいいのか?

資料は見れなかったが石ならば力ずくで取り上げる事もできたろうに

あ〜〜〜〜のどから手が出る位欲しかったよマジで!!

え?

でもマルコーさんの家に行く途中で会った人達の事を思いだしたらさ…

この町の人達の支えを奪ってまで元の身体に戻っても

後味悪いだけだなーって

また別の方法さがすさ

な

うん

そう言う少佐もよかったのかよ
マルコーさんの事を中央に報告しなくてさ

我輩が今日会ったのはマウロというただの町医者だ

あーあ
また振り出しかぁ

道は長いよ
まったく

……私の研究資料が隠してある場所だ

マルコーさん…

君！

真実を知っても後悔しないと言うならこれを見なさい

そして君ならば真実の奥の更なる真実に――

鋼の坊やを
見張ってたら
思わぬ収穫だわ

ご心配なく
あなたを
連れ戻しに
来たんじゃないから

あなたが
いなくても
あなたの部下が
後を継いで
よくやって
くれてるわ

な……

ダン!!

あら
賢者の石の製造の
ノウハウを
教えてあげたのは
私達だって事を
忘れてもらっちゃ
困るわね

まさか…
まだ あんな物を
作り続けて
いるのか!?

170

あなたが
いなくても
資料が
無くなっても
研究に
さしつかえは
ないのよ

ただ
あなたが
持ち出した
研究資料…

あなたも　薄々
感付いたから
研究所から逃げた…

そうでしょう？

やはり
そうだったのか

私の思い違いで
あってほしい
悪夢で
あってほしいと
願っていたが…

一般人に見られるのは
痛くもかゆくも
ないんだけど
あの子くらいの
術師に見られちゃ
色々とまずいのよ

この
悪魔め…！！

ドッ

盗んだ
資料の
隠し場所

あおおおお
おおおお

変な気
おこすんじゃ
ないわよ

あの子に
教えた
わね？

ぐあ
!!

ぐりっ、

とぼけないで

なんの事…

ふ……

あの子は賢い……

あの資料を見ればいずれ真実に……

おまえ達がやろうとしている事に気付くだろうよ

私は忙しいの

無駄話してるひまは無いのよ

そんな事は私がさせるものですか！

174

National central library

1st branch

Tim Marcoh

「国立中央図書館
第一分館」

「ティム・
マルコー」…

なるほど
「木を隠すには森」
か…

あそこの
蔵書量は
半端では
ないからな

ここに石の
手掛かりが
ある…‼

兄さん
道は続いている！

——ああ！

掲載・月刊少年ガンガン平成13年12月号〜平成14年3月号

鋼の錬金術師❷　おわり

※ 取り扱いには充分注意して下さい。

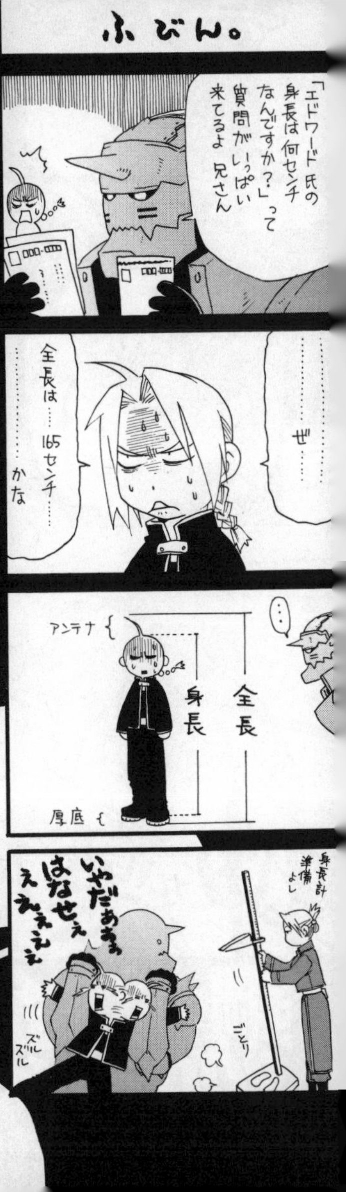

鋼の錬金術師2

すぺしゃるさんくす〜

髙枝景水 さん
ひのでや三吉 つぁん
杜康 潤 さん

担当 下村裕一 氏

AND YOU!!

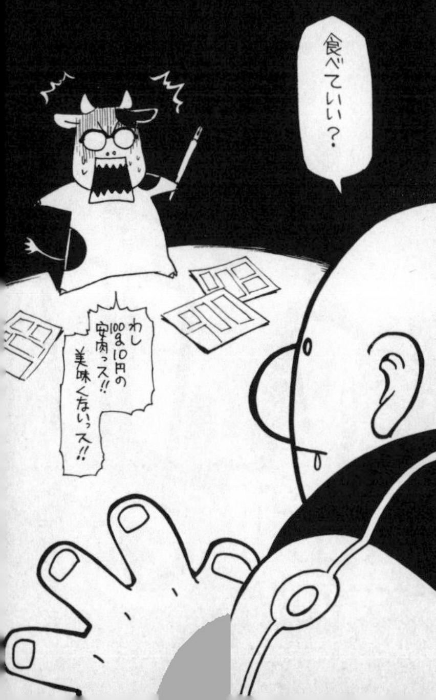

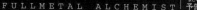

ガンガンコミックス

鋼の錬金術師❷

2002年 6 月22日 初版
2005年 7 月15日 28刷

著 者　　荒川 弘

©2002 Hiromu Arakawa

発行人
田口浩司

発行所
株式会社スクウェア・エニックス

〒151-8544　東京都渋谷区代々木 3-22-7　新宿文化クイントビル3階
〈内容についてのお問い合わせ〉　　　　　　　　　TEL 03(5333)0835
〈販売・営業に関するお問い合わせ〉　　　　　　　TEL 03(5333)0832
　　　　　　　　　　　　　　　　　　　　　　　FAX 03(5352)6464

印刷所　　　　図書印刷株式会社

ISBN4-7575-0699-6 C9979